Polskie
wierszyki
i wyliczanki

Polskie
wierszyki
i wyliczanki

Ilustracje: **Ala Hanna Murgrabia**

wydawnictwo 🦉 ZIELONA SOWA

Redakcja: **Sylwia Burdek**

Ilustracje: **Ala Hanna Murgrabia**

Projekt okładki: **Bernard Ptaszyński**

Opracowanie graficzne i DTP: **Bernard Ptaszyński**

© Copyright by Wydawnictwo Zielona Sowa Sp. z o.o., Warszawa 2013

ISBN 978-83-265-0444-0

Wydawnictwo Zielona Sowa Sp. z o.o.
00-807 Warszawa, Al. Jerozolimskie 96
tel. 22-576-25-50, fax 22-576-25-51
www.zielonasowa.pl
wydawnictwo@zielonasowa.pl

Wyliczanki, rymowanki

Tu sroczka
kaszkę warzyła

Tu, tu, tu sroczka kaszkę warzyła,
Dzieci swoje karmiła.
Temu dała na łyżeczce,
Temu dała na miseczce,
Temu dała w garnuszku,
Temu dała w dzbanuszku,
A temu nic nie dała…
i frrr... po więcej poleciała.

Baloniku nasz malutki

Baloniku nasz malutki,
rośnij duży okrąglutki.
Balon rośnie, że aż strach,
przebrał miarę no i TRACH!

Trumf, trumf misia bela

Trumf, trumf Misia Bela.
Misia Kasia konfacela.
Misia a, Misia be.
Misia Kasia konface.

Idzie kominiarz po drabinie

Idzie kominiarz po drabinie,
Fiku-miku – już w kominie!

Pewna pani miała psa

Jeden, dwa, jeden, dwa,
Pewna pani miała psa.
Trzy i cztery, trzy i cztery,
Pies ten dziwne miał maniery.
Pięć i sześć, pięć i sześć,
Wcale kości nie chciał jeść.
Siedem, osiem, siedem, osiem,
Wciąż o lody tylko prosił.
Dziewięć, dziesięć, dziewięć, dziesięć,
Kto z nas lody mu przyniesie?
Może ty, może ja?
Licz od nowa, jeden, dwa...

Lata osa koło nosa

Lata osa koło nosa.
Lata mucha koło ucha.
Lata bąk koło rąk.
Lecą ważki koło paszki.
Lata pszczoła koło czoła.
Lata mucha koło brzucha.
Lecą muszki koło nóżki.
Biegną mrówki koło główki.

Siała baba mak

Siała baba mak,
nie wiedziała jak,
a dziad wiedział,
nie powiedział, a to było – tak!

Chodzi lisek

Chodzi lisek koło drogi,
Cichuteńko stawia nogi.
Cichuteńko się zakrada,
Nic nikomu nie powiada.

Chodzi lisek koło drogi,
Nie ma ręki ani nogi,
Kogo lisek przyodzieje,
Ten się nawet nie spodzieje.

Szły pchły koło wody

Szły pchły koło wody,
pchła pchłę pchła do wody
i ta pchła płakała,
że ją tamta pchła popchała.

Idzie, idzie stonoga

Idzie, idzie stonoga, a tu... noga.
Idzie, idzie malec, a tu... palec.
Idzie, idzie koń, a tu... dłoń.
Idzie, idzie krowa, a tu... głowa.
A na końcu leci kos, a tu... nos!

Idzie wąż

Idzie wąż wąską dróżką,
nie porusza żadną nóżką.
Poruszałby gdyby mógł,
lecz wąż przecież nie ma nóg!

11

Na wysokiej górze

Na wysokiej górze
rosło drzewo duże,
nazywało się:
apli papli blite blau,
a kto tego nie wypowie,
ten nie będzie z nami grał!

Idzie rak

Idzie rak, idzie rak
czasem naprzód
czasem wspak.
Idzie rak nieborak,
jak uszczypnie,
będzie znak!

Apli papli
blite blau

Kółko graniaste

Kółko graniaste,
czworokanciaste.
Kółko nam się połamało,
cztery grosze kosztowało,
a my wszyscy – bęc!

Wpadła gruszka

Wpadła gruszka do fartuszka,
a za gruszką dwa jabłuszka,
a śliweczka wpaść nie chciała,
bo śliweczka niedojrzała!

Wyszła kura
na podwórze

Wyszła kura na podwórze,
spodobało się tam kurze.
Na podwórzu dużo kurzu,
piórko, trawka i sadzawka...
Kamyk, kwiatek i dżdżownica
– jaka piękna okolica...
Drapu-drap jedną z łap,
jest robaczek, to go cap!
Drapu-drapu łapką w kurzu,
jak tu pięknie na podwórzu!

Babciu, babciu

Babciu, babciu coś ci dam.
Tylko jedno serce mam.
A w tym sercu róży kwiat.
Babciu, babciu żyj sto lat!

Łyżka, nożyk i śliniaczek

Łyżka, nożyk i śliniaczek,
je śniadanie niemowlaczek.
Na śliniaczku misie siedzą,
pewnie też śniadanie jedzą.

Choć mam rączki małe

Choć mam rączki małe
I niewiele zrobię,
Pomogę mamusi,
Niech odpocznie sobie.
Zamiotę izdebkę,
Umyję garnuszki,
Niech się tu nie schodzą
Łakomczuszki-muszki.
I braciszka uśpię
W białej kolebusi.
Chociaż w tym pomogę
Kochanej mamusi.

Przez tropiki, przez pustynię

Przez tropiki, przez pustynię,
toczył zając wielką dynię.
Toczył, toczył dynię w dół,
pękła dynia mu na pół!
Pestki z niej się wysypały,
więc je zbierał przez dzień cały.
Raz, dwa, trzy! Raz, dwa, trzy!
Ile pestek zbierzesz ty?

W pokoiku na stoliku

W pokoiku na stoliku,
Stało mleczko i jajeczko.
Przyszedł kotek wypił mleczko,
a ogonkiem stłukł jajeczko.
Przyszła mama kotka zbiła,
a skorupki wyrzuciła.

Pałka, zapałka

Pałka, zapałka – dwa kije,
Kto się nie schowa, ten kryje!

Ene due rabe

Ene due rabe,
połknął bocian żabę,
a później chińczyka,
co z tego wynika?
Raz, dwa, trzy wychodź ty...

Entliczek pentliczek

Entliczek pentliczek
czerwony stoliczek.
Na kogo wypadnie
na tego bęc!

Deszczyk pada, słońce świeci

Deszczyk pada, słońce świeci,
czarownica masło kleci.
Co ukleci, wnet zajada,
myśli, że to czekolada.
Zaraz ciebie poczęstuje,
jeśli masz w dzienniku dwóje.
Masz? – Wy – pa – dasz!

Wpadła bomba do piwnicy

Wpadła bomba do piwnicy,
napisała na tablicy:
S.O.S.
Wściekły pies.
Tam go nie ma,
a tu jest.

19

Dwa aniołki
w niebie

Dwa aniołki w niebie
piszą list do siebie.
Piszą, piszą i rachują,
ile kredek potrzebują?

Na górze róże

Na górze róże,
na dole fiołki,
my się kochamy
jak dwa aniołki!

Poszła Ola
do przedszkola

Poszła Ola do przedszkola, zapomniała parasola.
A parasol był zepsuty i zostały same druty.

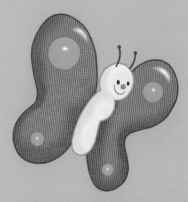

Piosenki

My jesteśmy krasnoludki

My jesteśmy krasnoludki
Hopsa sa, hopsa sa.
Pod grzybkami nasze budki,
Hopsa sa, hopsa sa.

Jemy mrówki, żabie łapki,
Oj tak, tak, oj tak, tak!
A na głowach krasne czapki,
To nasz znak, to nasz znak!

Gdy ktoś zbłądzi, to trąbimy,
Trutu tu, trutu tu.
Gdy ktoś senny, to uśpimy,
Lulu lu, lulu lu.

Gdy ktoś skrzywdzi krasnoludka,
Niu niu niu, niu niu niu.
To zapłacze niezabudka,
Buuu, buuu.

Ogródek

Maria Konopnicka

W naszym ogródeczku
Są tam śliczne kwiaty:
Czerwone różyczki
I modre bławaty.

Po sto listków w róży
A po pięć w bławacie;
Ułożę wiązankę
I zaniosę tacie.
A tata się spyta:
– Gdzie te kwiaty rosną?
– W naszym ogródeczku,
Gdzie je siałam wiosną.

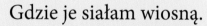

Stary niedźwiedź

Stary niedźwiedź mocno śpi,
stary niedźwiedź mocno śpi,
my się go boimy,
na palcach chodzimy,
jak się zbudzi, to nas zje,
jak się zbudzi, to nas zje.

Pierwsza godzina niedźwiedź śpi.
Druga godzina niedźwiedź chrapie.
Trzecia godzina niedźwiedź łapie!

Jawor, jawor

Jawor, jawor,
Jaworowi ludzie.
Co wy tu robicie?
Budujemy mosty
Dla pana starosty.
Tysiąc koni przepuszczamy,
A jednego zatrzymamy!

Mam chusteczkę haftowaną

Mam chusteczkę haftowaną,
co ma cztery rogi.
Kogo kocham, kogo lubię,
rzucę mu pod nogi.
Tej nie kocham, tej nie lubię,
tej nie pocałuję.
A chusteczkę haftowaną
tobie podaruję!

Kosi, kosi łapci

Kosi, kosi łapci.
Pojedziem do babci.
Babcia da nam serka,
a dziadzio cukierka.

Kotki dwa

A-a-a, kotki dwa,
szarobure obydwa.
Jeden duży drugi mały
oba mi się spodobały.
A-a-a, kotki dwa,
nic nie będą robiły,
tylko ciebie bawiły.

Mało nas do pieczenia chleba

Mało nas, mało nas
do pieczenia chleba,
tylko nam, tylko nam
ciebie tu potrzeba!
Dużo nas, dużo nas
do pieczenia chleba,
więc już nam, więc już nam
ciebie tu nie trzeba!

Nie chcę cię

Nie chcę cię, nie chcę cię,
nie chcę cię znać!
Chodź do mnie, chodź do mnie
rączkę mi daj.
Prawą mi daj, lewą mi daj
i już się na mnie nie gniewaj.

Ulijanka

Moja Ulijanko,
klęknij na kolanko.
Ujmij się pod boczki,
złap się za warkoczki.
Umyj się, uczesz się
i wybieraj, kogo chcesz.

Stoi różyczka

Stoi różyczka
w czerwonym wieńcu,
my się kłaniamy
jako książęciu.
Ty różyczko dobrze wiesz,
dobrze wiesz, dobrze wiesz,
kogo kochasz, tego bierz,
tego bierz.

Jestem sobie przedszkolaczek

Jestem sobie przedszkolaczek,
Nie grymaszę i nie płaczę,
Na bębenku marsza gram,
Ram tam tam, ram tam tam.
Mamy tu zabawek wiele,
Razem bawić się weselej,
Bo kolegów dobrych mam,
Ram tam tam, ram tam tam.
Mamy klocki, kredki, farby,
To są nasze wspólne skarby,
Bardzo dobrze tutaj nam,
Ram tam tam, ram tam tam.
Kto jest beksą i mazgajem,
Ten się do nas nie nadaje,
Niechaj w domu siedzi sam,
Ram tam tam, ram tam tam

Dwóm tańczyć się zachciało

Dwóm tańczyć się zachciało, zachciało, zachciało,

Lecz im się nie udało, pari pari paro.

Kłócili się ze sobą, ze sobą, ze sobą,

Ja nie chcę tańczyć z Tobą, pari pari paro.

Poszukam więc innego, innego, innego,

Do tańca zdolniejszego, pari pari paro.

Była sobie żabka mała

Była sobie żabka mała
re re kum kum, re re kum kum,
która mamy nie słuchała
re re kum kum bęc.

Na spacery wychodziła
re re kum kum, re re kum kum,
innym żabkom się dziwiła
re re kum kum bęc.

Ostrzegała ją mamusia
re re kum kum, re re kum kum,
by zważała na bociusia
re re kum kum bęc.

Przyszedł bociek niespodzianie
re re kum kum, re re kum kum,
połknął żabkę na śniadanie
re re kum kum bęc.

A na brzegu stare żaby
re re kum kum, re re kum kum,
rajcoway jak te baby
re re kum kum bęc.

Jedna drugiej żabie płacze
re re kum kum, re re kum kum,
„Już jej nigdy nie zobaczę"
re re kum kum bęc.

Z tego taki morał mamy
re re kum kum, re re kum kum,
trzeba zawsze słuchać mamy
re re kum kum bęc.

Pojedziemy w cudny kraj

Maria Konopnicka

Patataj, patataj,
Pojedziemy w cudny kraj!
Tam gdzie Wisła modra płynie,
Szumią zboża na równinie,
Pojedziemy, patataj…
A jak zowie się ten kraj?

Poranek

Maria Konopnicka

Minęła nocka, minął cień,
Słoneczko moje, dobry dzień!
Słoneczko moje kochane,
W porannych zorzach rumiane.
Minęła nocka, minął cień.
Niech się wylega w łóżku leń,
A ja raniutko dziś wstanę,
Zobaczę słonko rumiane.

Zima zła

Maria Konopnicka

Hu! hu! ha! Nasza zima zła!
Szczypie w nosy szczypie w uszy,
Mroźnym śniegiem w oczy prószy,
Wichrem w polu gna!
Nasza zima zła!

Hu! hu! ha! Nasza zima zła!
Płachta na niej długa, biała,
W ręku gałąź oszroniała,
A na plecach drwa…
    Nasza zima zła!

Hu! hu! ha! Nasza zima zła!
A my jej się nie boimy,
Dalej śnieżkiem w plecy zimy,
Niech pamiątkę ma!
    Nasza zima zła!

Jagódki

Jesteśmy jagódki,
czarne jagódki,
Mieszkamy w lesie zielonym,
Oczka mamy czarne,
buźki granatowe,
A rączki są zielone i seledynowe.

A kiedy dzień nadchodzi,
Dzień nadchodzi.
Idziemy na jagody,
Na jagody.
A nasze czarne serca,
Czarne serca.
Biją nam radośnie,
Bum tarara bum.
Pójdziem na jagódki, wysmarujem bródki,
Do kosza połowę, a resztę na głowę.
Trochę sobie zjemy, się wysmarujemy
I zatańczymy nowy taniec jagodowy.

Wierszyki

Katechizm polskiego dziecka

Władysław Bełza

– Kto ty jesteś?
– Polak mały.

– Jaki znak twój?
– Orzeł biały.

– Gdzie ty mieszkasz?
– Między swemi.

– W jakim kraju?
– W polskiej ziemi.

– Czym ta ziemia?
– Mą ojczyzną.

– Czym zdobyta?
– Krwią i blizną.

– Czy ją kochasz?
– Kocham szczerze.

– A w co wierzysz?
– W Polskę wierzę.

– Czym ty dla niej?
– Wdzięczne dziecię.

– Coś jej winien?
– Oddać życie.

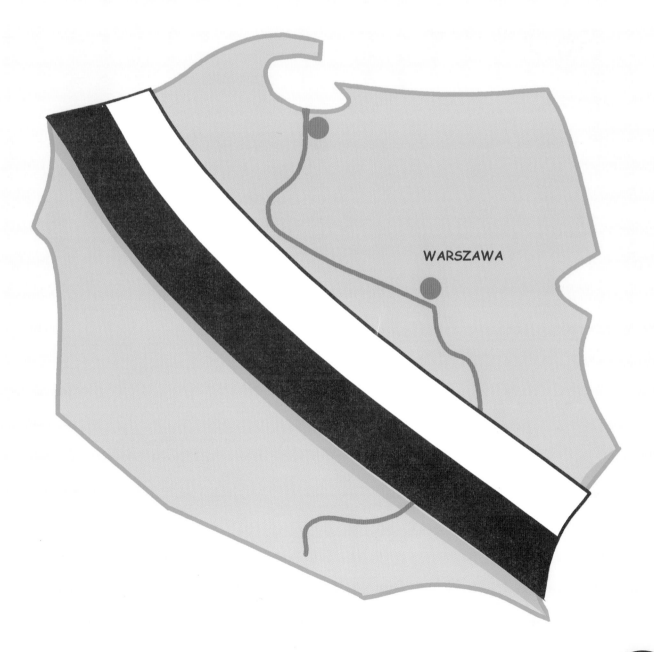

Stefek Burczymucha

Maria Konopnicka

O większego trudno zucha,

Jak był Stefek Burczymucha,

– Ja nikogo się nie boję!

Choćby niedźwiedź... to dostoję!

Wilki?... Ja ich całą zgraję

Pozabijam i pokraję!

Te hieny, te lamparty

To są dla mnie czyste żarty!

A pantery i tygrysy

Na sztyk wezmę u swej spisy!

Lew!... Cóż lew jest?! – Kociak duży!

Naczytałem się w podróży!

I znam tego jegomości,
Co zły tylko, kiedy pości.
Szakal, wilk?... Straszna nowina!
To jest tylko większa psina!
(Brysia mijam zaś z daleka,
Bo nie lubię, gdy kto szczeka!)
Komu zechcę, to dam radę!
Zaraz za ocean jadę
I nie będę Stefkiem chyba,
Jak nie chwycę wieloryba! –

I tak przez dzień Boży cały
Zuch nasz trąbi swe pochwały.
Aż raz usnął gdzieś na sianie...

Wtem się budzi niespodzianie.

Patrzy, aż tu jakieś zwierzę

Do śniadania mu się bierze.

Jak nie zerwie się na nogi,

Jak nie wrzaśnie z wielkiej trwogi! –

Pędzi, jakby chart ze smyczy...

– Tygrys, tato! Tygrys! – krzyczy.

– Tygrys?... – ojciec się zapyta.

– Ach, lew może!... Miał kopyta

Straszne! Trzy czy cztery nogi,

Paszczę taką! Przy tym rogi...

– Gdzie to było?

– Tam na sianie.

–Właśnie porwał mi śniadanie...

Idzie ojciec, służba cała,

Patrzą... a tu myszka mała.

Polna myszka siedzi sobie

I ząbkami serek skrobie!...

Chory kotek

Stanisław Jachowicz

Pan kotek był chory i leżał w łóżeczku,
I przyszedł pan doktor: „Jak się masz, koteczku"!
– „Źle bardzo..." – i łapkę wyciągnął do niego.
Wziął za puls pan doktor poważnie chorego,
I dziwy mu śpiewa: – „Zanadto się jadło,
Co gorsza, nie myszki, lecz szynki i sadło;
Źle bardzo... gorączka! Źle bardzo, koteczku!
Oj! Długo ty, długo, poleżysz w łóżeczku,
I nic jeść nie będziesz, kleiczek i basta:
Broń Boże kiełbaski, słoninki lub ciasta!".

– „A myszki nie można? – zapyta koteczek –
Lub z ptaszka małego choć z parę udeczek?".
– „Broń Boże! Pijawki i dieta ścisła!
Od tego pomyślność w leczeniu zawisła".
I leżał koteczek; kiełbaski i kiszki
Nietknięte, z daleka pachniały mu myszki.
Patrzcie, jak złe łakomstwo! Kotek przebrał miarę;
Musiał więc nieboraczek srogą ponieść karę.
Tak się i z wami dziateczki stać może;
Od łakomstwa strzeż was Boże!

Jesienią

Maria Konopnicka

Jesienią, jesienią
Sady się rumienią;
Czerwone jabłuszka
Pomiędzy zielenią.
Czerwone jabłuszka,
Złociste gruszeczki
Świecą się jak gwiazdy
Pomiędzy listeczki.
– Pójdę ja się, pójdę,
Pokłonić jabłoni,
Może mi jabłuszko
W czapeczkę uroni!

– Pójdę ja do gruszy,
Nadstawię fartuszka,
Może w niego spadnie,
Jaka śliczna gruszka!
Jesienią, jesienią
Sady się rumienią;
Czerwone jabłuszka
Pomiędzy zielenią.

Spis treści